L'auteur
Dominique de Saint Mars

Après des études de sociologie,
elle a été journaliste à *Astrapi*.
Elle écrit des histoires
qui donnent la parole aux enfants
et traduisent leurs émotions.
Elle dit en souriant qu'elle a interviewé
au moins 100 000 enfants...
Ses deux fils, Arthur et Henri,
ont été ses premiers inspirateurs !
Prix de la Fondation pour l'Enfance.
Auteur de *On va avoir un bébé*,
Je grandis, *Les Filles et les Garçons*,
Léon a deux maisons et
Alice et Paul, copains d'école.

L'illustrateur
Serge Bloch

Cet observateur plein d'humour
et de tendresse est aussi un maître
de la mise en scène.
Tout en distillant son humour généreux
à longueur de cases, il aime faire sentir
la profondeur des sentiments.

Lili ne veut pas se coucher

Léa

Série dirigée par Dominique de Saint Mars

Imprimé en Italie
ISBN : 2-88445-036-X

Ainsi va la vie

Lili ne veut pas se coucher

Dominique de Saint Mars

Serge Bloch

Allez, les enfants, au lit !

Ah, non ! On vient de commencer !
D'accord, finissez la partie.

UN PEU PLUS TARD...
Allez, maintenant, au lit !

Moi, je ne suis pas fatiguée et je n'ai pas à me coucher à la même heure que Max !
Toi, Lili, tu peux lire un peu.

Mes amies, elles se couchent toutes plus tard.
À ton âge, on dort 10 heures, sinon on est fatigué à l'école.

Oh, papa, tu nous fais le camion ?
Oui, on n'a pas joué ensemble, aujourd'hui.

Demain, on fera un jeu plus tôt.
Là, c'est l'heure des parents.
On a envie de se parler.
Moi aussi,
j'ai envie de vous
parler...

Mais on n'a pas vu le feuilleton à la télé !
Ah non ! plus de télé à cette heure.

Dépêchez-vous, il ne faut pas rater le train du sommeil, sinon, on a du mal à s'endormir.
Il fait quel bruit, ton train ? Moi, je ne l'ai jamais entendu...

Un grand bruit de bâillement !

De toute façon, si on le rate, on prendra le prochain.
Mais il faudra l'attendre un bon moment.
Moi, ça me va très bien !

Faites de beaux rêves, les loulous !

CROUIC... KRRR... CROUICC...

Euh, maman, j'ai oublié... il faut que tu signes mon cahier.
C'est bien le moment !

Regarde, on a appris un nouveau pas de danse !

Allez, va te coucher ! Max dort déjà, lui !
Moi, je suis plus grande ! D'abord, tu ne m'as pas donné mon lait chaud.

En plus, je n'aime pas dormir. On dirait qu'on est mort quand on dort.
Mais non ! Ne t'en fais pas. Tu restes bien vivante.

C'est du temps perdu de dormir.
Pas tant que ça ! Tu sais, ton corps a besoin de se reposer. Ton esprit aussi, en rêvant.

Dis donc, tu exagères, tu n'es pas encore au lit, Lili !
S'il te plaît, papa, je viens juste boire mon lait avec vous !

N'essaie pas
de m'attendrir,
toi !
Oh, regarde Pompon, comme
il est mignon quand
il rêve !

Oh, on est bien quand on est tous les trois !

Bon, j'ai compris, tu as besoin de ton petit quart d'heure à toi avant d'éteindre. Mais pas une minute de plus !
Tu es le plus gentil papa du monde !
Je viendrai t'embrasser.

Un quart d'heure,
j'ai le temps de faire plein
de trucs !

Je me relave les dents.

Je prépare mes
affaires pour l'école.

Je range mon lit,
les poupées à gauche...

Et voilà mon petit
nid !

Chic, encore 5 minutes pour lire.

Un peu de yoga,
il paraît que ça calme
les nerfs.

Clic !

Qu'est-ce qu'elle fait ?
Elle a dit qu'elle viendrait m'embrasser.

Alors, elle m'oublie, ma parole !

Je vais lui dire !

Ah, je comprends pourquoi maman n'est pas venue.

Dors bien,
maman ! Smack !
mh ?

Bon, tu t'occupes d'elle. Moi,
j'ai mon train à prendre !

Et toi...

Est-ce qu'il t'est arrivé la même histoire qu'à Lili ?

Est-ce parce que n'as pas envie de te séparer si vite de tes parents ? Tu n'as pas assez parlé, ri ou fait des câlins avec eux ?

Tu ne te sens pas assez fatigué(e) ?
Est-ce que tu n'as pas assez fait d'exercice ?

As-tu encore plein de choses à faire ou à finir ?

Est-ce parce que tu n'arrives pas à t'endormir ?

As-tu peur du noir ?

Le soir, tout te paraît-il plus magique et as-tu envie de regarder la télévision ou de jouer ?

Trouves-tu assez de moments agréables dans la journée avec tes parents ?

Si tu as un souci, en parles-tu avec tes parents pour t'endormir l'esprit tranquille ?

Est-ce qu'un livre, une petite lumière, un nounours ou un petit bain t'aident à te préparer au sommeil ?

As-tu remarqué que, si tu ne dormais pas assez, tu manquais d'attention à l'école ?

As-tu déjà calculé le nombre d'heures de sommeil dont tu as besoin naturellement ?

Vas-tu dormir plus vite quand c'est toi qui décides de l'heure de ton coucher ?

**Après avoir réfléchi
à ces questions sur le sommeil,
tu peux en parler
avec tes parents ou tes amis.**